크리스마스 캐럴

글 찰스 디킨스 | 그림 피피 스포지토 | 옮김 윤영

스푼북

The Charles Dickens Children's Collection: A Christmas Carol
Adapted by Philip Gooden

말리의 유령

맨 처음 시작부터 이야기해 보자. 말리는 죽었어. 이 사실에 관해서는 의심의 여지가 없지. 그래, 늙은 말리는 완전히 세상을 떴어.

에비니저 스크루지와 제이콥 말리는 오랜 세월 동안 함께 일했어. 스크루지는 말리의 하나밖에 없는 친구였고, 그의 장례식을 지킨 유일한 사람이었지. 물론 신부님은 제외하고. 하지만 스크루지는 이렇게 슬픈 일에도 크게 속상해하지 않았단다. 그는 말리의 장례식 날에도 일을 하러 나갔대.

보다시피 스크루지는 지나치게 욕심이 많은 사람이었어. 그에게 가장 중요한 건 늘 사업이었어. 그는 찔러도 피 한 방울 나오지 않을 정도로 빈틈없고, 지독하고, 또 쌀쌀맞았어. 펄펄 끓는 한여름에도 그가 노려보면 그 싸늘한 눈빛에 등골이 서늘해졌지.

크리스마스이브에도 늙은 스크루지는 사무실에 앉아서 일을 하고 있었어. 안개가 잔뜩 낀 추운 날이었지. 그런데도 스크루지는 사무실 문을 닫지 않았어. 코딱지만 한 방에 앉아 편지를 베껴 쓰고 있는 직원을 감시해야 했거든.

스크루지의 사무실에는 조그만 벽난로가 있었어. 하지만 너무 작아서 그 온기가 벽난로 앞을 벗어나지 못했지. 이름이 밥 크래칫이라고 하는 부하 직원은 하얀 양털 목도리를 두르고 촛불에 몸을 녹이려고 애썼어. 하지만 그게 될 리가 있나.

"메리 크리스마스, 삼촌!"

유쾌한 목소리가 들려왔어. 바로 스크루지의 조카, 프레드였지.

"흥! 쓸데없는 소리!"

스크루지가 핀잔을 주었어.

"왜 화를 내세요, 삼촌."

"내 마음대로 할 수 있다면 '메리 크리스마스' 같은 소리를 지껄이는 멍청이들은 모두 푸딩에 넣고 끓여서 심장에 말뚝을 박아 묻어버리고 싶다."

"화내지 말고 내일 우리 집에 와서 같이 저녁 먹어요."

프레드가 말했어.

스크루지는 그럴 바에는 조만간 지옥에서나 만나자고 대꾸했지. 하지만 그런데도 프레드는 싱글벙글했어. 그는 사무실을 나서면서 또 삼촌과 직원에게 "메리 크리스마스!"라고 인사했어.

퇴근 직전엔 시간이 어찌나 느리게 가던지……. 마침내 스크루지가 직원에게 고개를 까딱하며 퇴근 시간을 알렸어. 밥 크래칫은 기다렸다는 듯이 곧바로 촛불을 끄고 모자를 썼지.

"내일은 온종일 쉬고 싶겠지?"

스크루지가 물었어. 내일은 바로 크리스마스니까.

"형편이 된다면요, 사장님."

밥 크래칫이 대답하자 스크루지가 쏘아붙였어.

"형편이 안 돼. 하지만 내일은 종일 쉬어야 할 테지. 그러니 대신 내일모레는 평소보다 더 일찍 나와."

에비니저 스크루지는 낡은 건물에 살고 있었어. 그 건물은 구석지고 어두운 데다가 안마당 때문에 도로와 멀찌감치 떨어져 있었지. 안마당은 늘 안개가 끼어 있고 어두워서 길바닥 돌멩이 하나하나를 다 아는 스크루지마저도 문 앞에 도착할 때까지 손으로 벽을 더듬어야 했어.

스크루지는 이제 죽은 지 7년 된 동업자 제이콥 말리를 거의 잊고 지냈어. 그런데 왜 그랬을까? 열쇠를 손에 쥔 스크루지의 눈에 문 두드리는 쇠고리가 제이콥 말리의 얼굴처럼 보이는 거야!

화가 났거나 사나워 보이진 않았어. 눈을 부릅뜨고 스크루지를 바라보는 모습이 평소의 말리 얼굴 그대로였지. 바람이 불지도 않았는데 머리카락이 살짝 움직이는 것 같았어.

스크루지는 가슴이 철렁했단다. 하지만 침착하게 열쇠를 열쇠 구멍에 넣고 돌린 다음, 집 안으로 들어가 초에 불을 붙였어. 그리고 괜히 큰 소리로 외쳤지.

"흥! 말도 안 되는 소리!"

스크루지는 컴컴한 계단을 올라갔어. 방에 들어간 그는 이중으로 자물쇠를 채우고 빗장까지 질렀어. 그런 다음 탁자 아래, 안락의자 아래, 찬장 안까지 샅샅이 확인했지.

혼자인 걸 확인한 스크루지는 잠옷 가운을 입고, 슬리퍼를 신고, 취침용 모자까지 쓰고 작은 벽난로 앞에 앉았어.

벽난로 옆에는 하인을 부르는 종이 매달려 있었어. 하지만 스크루지에게는 하인이 없었기에 종이 저절로 울리기 시작하자 그는 깜짝 놀랐어.

저 아래 깊은 곳에서부터 쩔그렁거리는 소리가 들려왔어. 누군가 무거운 쇠사슬을 끌고 오는 것처럼 말이야. 그 소리는 계단을 타고 올라와 방문 앞에서 멈췄어.

쩔렁.

"말이 안 되잖아! 직접 보기 전에는 못 믿어."

스크루지가 혼잣말을 했어.

쩔렁.

쩔그렁.

스크루지의 얼굴은 허옇게 질려 버렸지.

아직 방문이 열리지도 않았는데 어떤 형체가 문을 스르르 통과했어. 그 형체가 점점 다가올수록 죽어 가던 벽난로 불빛이 마구 요동치는 거야. 마치 이렇게 소리치는 것처럼.

'나 저 사람 알아요! 말리의 유령이잖아요!'

유령의 눈빛은 싸늘하게 식어 있었어. 머리와

턱에는 붕대 같은 게 감겨 있었지. 그가 질질 끌고 온 쇠사슬이 허리뿐만 아니라 온몸을 칭칭 감고 있었어. 거기엔 금고, 열쇠와 자물쇠, 회계 장부, 무거운 강철 지갑이 주렁주렁 매달려 있었어.

스크루지는 유령의 조끼를 쳐다보았어. 하지만 투명한 유령의 몸 때문에 뒤에 있는 문이 훤히 비쳤지.

"나한테 원하는 게 뭔가?"

스크루지가 살짝 떨리는 목소리로 물었어.

"원하는 거야 많지!"

의심할 것도 없이 그건 말리의 목소리였어.

"왜 쇠사슬에 묶여 있는 거야?"

스크루지가 물었어. 목소리가 덜덜 떨렸지.

"이 쇠사슬은 내가 평생토록 만들어 놓은 거라고 할 수 있어. 내 인생에 중요했던 것들로 이루어져 있지. 다른 사람들, 칭찬이나 용기, 그런 게 아니라 금고, 지갑, 회계 장부 같은 것들……. 정말 끔찍해. 아마 자네도 비슷한 쇠사슬을 매고 있을 거야, 에비니저 스크루지. 당장 자네 눈에는 안 보이겠지만 말이야."

스크루지는 털썩 무릎을 꿇고 두 손으로 얼굴을 감싸고 울부짖었어.

"그럼 이제 어떻게 해야 하나?"

"난 자네에게 경고해 주러 온 걸세. 자네에겐 아직 나와 같은 운명을 피할 수 있는 기회와 희망이 있어. 내가 자네를 위해 얻어 낸 기회와 희망이지, 에비니저."

"자네는 늘 내게 좋은 친구로구먼."

스크루지가 말했어.

"이제 유령 셋과 만나게 될 거야. 가장 먼저 내일 새벽 1시 종이 울리면 첫 번째 유령이 찾아올 걸세."

말리의 유령이 말했어. 유령은 서서히 뒤로 물러났어. 그가 스크루지에게서 멀어질수록 방에 있는 창문이 조금씩 열리더니 결국 활짝

젖혀졌어.

말리의 유령이 창문을 통해 사라지자 스크루지는 창문을 닫고, 유령이 들어왔던 문을 다시 확인해 보았어. 문은 여전히 이중으로 잠겨 있었고 빗장도 그대로였지. 그는 "말도 안 되는 소리!"라고 외치고 싶었지만 "말도……."까지밖에 말하지 못했어.

고단한 하루여서일까, 유령의 찝찝한 이야기 때문일까? 아니면 그저 늦은 시간이어서일까? 에비니저 스크루지는 좀 쉬고 싶었어. 그는 곧장 네 모서리에 기둥이 있는 침대에 쓰러졌어. 커튼도 치지 않고 옷도 벗지 않은 채 그대로 잠이 들었지.

세 유령 중
첫 번째 유령

스크루지가 잠시 잠에서 깼을 때, 그는 자신에게 일어났던 일들을 깜빡 잊고 있었어. 잠시 후 근처 교회에서 시간을 알리는 종이 울렸어.

댕–!

종은 딱 한 번 울렸어.

새벽 1시였던 거지.

말리의 유령이 예고했던 바로 그 시간…….

갑자기 침대 옆이 번쩍 빛났어. 그리고 침대에 드리워져 있던 커튼이 한쪽으로 젖혀지는 거야.

스크루지는 자리에서 일어나 이 세상 사람 같지 않은 방문객을 마주 보았단다. 상대는 어린아이 같은 몸집에 얼굴은 주름 하나 없이 매끈했지. 하지만 길게 늘어진 머리카락이 할머니처럼 하얗게 세어 있었어.

"누구……세요?"

스크루지가 물었어.

"난 과거의 크리스마스 유령이다. 어서 일어나 나와 함께 가자."

유령이 부드러운 목소리로 말했어.

유령은 스크루지의 손을 조심스럽게 잡았단다. 놀랍게도 스크루지는 침실 벽을 그대로 통과했어. 그리고 잠시 후 둘은 탁 트인 시골길 위에 서 있었어. 맑게 갠 겨울날이었지. 땅에는 얼마 전 내린 눈이 쌓여 있었어.

"세상에! 내가 태어난 곳이에요! 어릴 때 여기서 살았어요!"

둘은 같이 길을 걸었어. 스크루지는 가면서 만나는 다른 집 대문, 말뚝, 나무까지 모두 알아볼 수 있었지. 저 멀리 자그마한 읍내와 다리, 교회, 굽이굽이 흐르는 강이 보였어.

스크루지와 유령은 길을 따라가다가 빨간 벽돌집에 다다랐어. 둘은 단단한 벽을 통과해 방으로 들어갔단다. 거기엔 벽난로 옆에서 책을 읽고 있는 어린 소년이 있었어.

스크루지는 그 소년을 곧바로 알아보았어. 바로 크리스마스 날 홀로 남겨진, 어린 시절의 스크루지였지. 하지만 완전히 혼자는 아니었어. 한 소녀가 방 안으로 들어왔거든.

소녀가 말했어.

"오빠를 집에 데려가려고 왔어."

스크루지는 어린 자신과 여동생이 집으로 가기 위해 마차에 올라타는 모습을 바라보며 말했어.

"불쌍한 팬, 너무 젊은 나이에 죽었어요."

"하지만 죽기 전에 아이를 남겼지?"

유령이 물었어.

"맞아요, 조카 프레드죠."

스크루지는 갑자기 미안해졌어. 크리스마스에 저녁 식사를 하러 오라던 프레드의 초대를 거절했거든. 게다가 그 어린애를 여태 너무 거칠게 대한 것 같았지.

곧바로 장면이 바뀌었어. 유령은 스크루지를 도시의 거리로 데리고 갔어. 그곳엔 크리스마스를 맞아 환하게 불을 밝히고 있는 상점들이 있었지. 둘은 한 창고 문 앞에 멈춰 섰어.

"여기를 아나?"

유령이 물었어.

"알다마다요. 여기에서 일을 배웠는걸요. 페지위크 어르신 밑에서 일을 했지요. 제 모든 사업은 그분에게서 배운 거나 마찬가지예요."

두 사람은 이번에도 문을 열지 않고 스르륵 건물 안으로 들어갔어. 그곳에서 스크루지는 젊은 자기 모습을 봤지. 그리고 같이 일을 배우던 리처드 윌킨스도 보았어.

그날은 크리스마스이브였어. 늘 밝고 너그러운 페지위크 씨는 가게 문을 일찍 닫았지. 그리고 스크루지와 리처드 윌킨스에게 물었어. 가족과 이웃이 모여 축하 파티를 여는데 같이 가지 않겠느냐고 말이야.

바이올린 음악 소리가 울려 퍼졌어. 모두가 춤을 추고, 즐겁게 대화를 나누고, 웃음을 터트렸지. 구운 고기와 민스파이*뿐만 아니라 설탕과 향신료를 넣어 따뜻하게 데운 와인도 있었어. 스크루지는 이 사랑스러운 분위기와 광

*민스파이: 영국에서 크리스마스에 먹는 디저트로, 다진 고기와 과일, 향신료 등을 섞어 반죽에 넣고 굽는 요리이다.

경에 머리가 어질어질해졌어.

그리고 바로 전날, 부하 직원 밥 크래칫에게 자신이 못 할 짓을 했다는 걸 떠올렸지. 바로 그때 유령이 끼어들었어.

"시간이 없어. 서둘러!"

다시 한번 장면이 바뀌고, 이제 조금 나이가 든 스크루지와 아름다운 여인이 눈앞에 나타났어. 여인의 눈에는 눈물이 그렁그렁했단다. 두 사람은 나란히 앉아 있긴 했지만 어쩐지 둘 사이에 보이지 않는 벽이 있는 것 같았지.

늙은 스크루지는 이게 무슨 상황인지 알고 있었어. 젊은 스크루지가 여인에게 물었어.

"우리 사이가 왜 이렇게 된 거죠, 벨?"

"당신이 돈만 생각하니까요."

여인이 대답했어.

"돈이 있어야 편하게 지낼 수 있는 거예요."

젊은 스크루지가 단호하게 말했어.

"당신은 더 이상 젊고 가난한 시절의 당신이 아니에요. 난 이제 당신을 행복하게 할 수 없어요. 그건 오직 돈만이 할 수 있죠. 이제 당신이 선택한 삶을 살며 행복하길 바랄게요!"

여인은 자리에서 일어나 방을 나가 버렸어.

"충분히 봤어요, 유령님. 더 이상 날 괴롭히지 말아 줘요."

늙은 스크루지가 애원했어.

"아직 한 장면이 더 남았단다."

잠시 후 둘은 또 다른 집에 도착해 벽난로 옆에 앉아 있는 한 여인을 바라봤어. 스크루지는 그 여인을 알아봤어. 그 여인은 나이가 들었어도 여전히 아름다웠지. 어린아이들은 엄마 주변을 뛰며 장난을 치고 있었어. 그때 장난감과 선물을 잔뜩 든 남자가 걸어 들어왔어. 역시나 크리스마스였던 거야!

아이들은 기뻐서 소리를 지르며 아빠와 선물을 반갑게 맞이했어. 남자도 벽난로 옆에 자리를 잡고 앉았단다.

남자가 아내를 보고 웃으며 말했어.

"벨, 오늘 오후에 당신의 옛 친구를 만났어요."

"누구를요?"

"스크루지 씨요. 그 사람 사무실 앞을 지나가는데, 혼자 우두커니 앉아 있더군요. 솔직히 너무 외로워 보였어요."

늙은 스크루지는 유령에게 말했어.

"유령님, 어서 다른 곳으로 가게 해 주세요. 도저히 못 견디겠어요."

그 순간 스크루지는 홀로 자기 침실에 돌아와 있었어. 유령과의 여행으로 잔뜩 지친 스크루지에게 슬픔과 후회가 와르르 밀려왔지. 그는 비틀비틀 침대로 걸어가 곧바로 깊은 잠에 빠져들었어.

세 유령 중 두 번째 유령

에비니저 스크루지가 다시 잠에서 깼을 때는 뭔가 이상한 일이 벌어지고 있었어. 정확히는 두 가지가 이상했지.

우선 교회 종이 울렸어.

댕—!

딱 한 번.

1시였어.

또 1시라니.

마치 과거로 돌아간 것 같았어.

그리고 또다시 침대 커튼 밖에서 빛이 나는 거야. 이번엔 따뜻하고 발그레한 빛이었어.

스크루지는 침대에서 일어나 빛이 나는 옆방으로 가 보았어. 벽난로가 그 어느 때보다 활활 타오르고 있었지. 벽에는 호랑가시나무, 겨우살이, 담쟁이덩굴 잎을 말려서 만든 장식도 걸려 있었어. 방 안에는 칠면조, 거위 고기, 닭고기, 둘둘 말려 있는 기다란 소시지, 민스파이, 자두푸딩, 달달한 밤조림, 빨간 사과, 과즙 많은 오렌지, 달콤한 배, 철철 흘러넘치는 와인 잔으로 그득그득했어.

그 한가운데에 행복해 보이는 거인이 초록색 가운을 입고 앉아 있었지.

“난 현재의 크리스마스 유령이다.”

그가 말했어.

스크루지도 이젠 무슨 일이 일어날지 예상이 됐어. 유령이 자기 가운을 잡으라기에 시키는 대로 했지.

다음 순간 둘은 눈이 가득 쌓인 도시의 거리에 서 있었어. 환한 낮이었고 사람들은 기분 좋게 자기 집 앞 계단에 쌓인 눈을 치우고 있었지. 크리스마스 분위기가 흘러넘쳤어.

지나가면서 본 가게 안에는 사과, 아몬드, 빵, 계피와 커피 등 온갖 맛있는 음식과 음료가 가득 있었어. 그리고 어느 순간 둘은 부하 직원인 밥 크래칫의 작은 집 앞에 서 있었지.

스크루지와 현재의 크리스마스 유령은 닫혀 있는 문을 스르르 통과했어. 그리고 구석에 서서 크래칫 부인과 가족들이 저녁 식사를 준비하는 모습을 바라보았어. 허브와 양파로 속을 채운 거위 고기였어. 선반 위에 놓인 크리스마스푸딩에서는 김이 펄펄 나고 있더군.

음식 준비가 거의 끝났을 때 밥 크래칫이 교회에서 돌아왔어.

밥 크래칫은 아들인 타이니 팀을 등에 업고 있었어. 팀은 목발을 짚고도 잘 걷지 못했거든. 하지만 가족들과 함께 거위 고기를 먹으며 웃고 떠드는 모습이 너무나 행복해 보였어.

"우리 가족들 모두 메리 크리스마스! 우리에게 축복이 있기를!"

밥이 가족들에게 말했어.

"우리에게 축복이 있기를!"

타이니 팀이 따라 했어.

"스크루지 씨에게도 인사를 해야지. 감사합니다, 스크루지 씨. 덕분에 제가 월급을 받아서 이렇게 맛있는 음식을 먹을 수 있네요."

밥이 말했어.

"스크루지 씨에게 고맙다고요? 그래요, 저도 그 사람이 여기 있었으면 좋겠네요. 당신에게 그렇게 못되게 군 사람한테 제가 밥이라도 대접해야지요, 흥!"

크래칫 부인이 외쳤어.

구석에 서 있던 스크루지는 너무 부끄러웠어. 자기 이름이 잠깐 나온 것만으로도 찬물

을 끼얹은 것 같은 분위기가 되었으니 말이야.

크래칫 가족은 멋지게 차려입은 보기 좋은 모습은 아니었어. 하지만 자신들의 삶에 만족하고 감사할 줄 아는 행복한 가족이었지. 유령과 함께 그 자리를 벗어날 때도, 스크루지의 눈은 크래칫 가족을 향해 있었어. 특히 타이니 팀에게서는 끝까지 눈을 떼지 못했어.

집 밖에는 다시 눈이 오고 있었단다. 현재의 크리스마스 유령이 말했어.

"사람들이 오늘을 어떻게 축하하는지 봐. 외진 시골 마을에서, 심지어 등대나 바다 위 배에서, 그리고 가까운 집에서도."

이제 스크루지와 유령은 또 다른 집에 도착했어. 이번 집은 좀 전에 방문했던 곳보다 훨씬 더 컸지. 잠시 후 스크루지는 조카인 프레드와 그의 아름다운 아내를 알아보았어. 아내의 자매들과 손님들도 보였지. 프레드는 어떤 이야기를 하며 웃고 있었어. 바로 스크루지에 대한 이야기였어.

"삼촌은 크리스마스가 쓸데없는 소리래요. 진짜 그렇게 생각하더라니까요. 같이 저녁 먹자는 초대도 거절하셨어요. 봐요, 정말로 안 오셨잖아요. 하지만 삼촌이 좋아하든 말든, 매년 초대는 해 볼 거예요."

“왜요?”

누군가 물었어.

“너무 안타깝잖아요.”

프레드가 대답했어.

집에는 음악과 노랫소리가 가득했어. 식사를 끝낸 후 사람들은 술래잡기도 하고 스무고개도 했어. 프레드가 마음속으로 무언가를 생각하면 다른 사람들이 그게 무엇인지 알아맞

히는 게임이었지. 프레드는 사람들의 질문에 '예' 또는 '아니오'로만 대답할 수 있었어.

프레드는 동물을 생각하고 있다고 했어. 다소 쌀쌀맞은 동물을. 그 동물은 때때로 으르렁거리고 툴툴대며, 가끔 말도 한다더군. 또 런던에 살면서 길거리를 걸어 다닌대. 그런데 말도 아니고, 젖소도 아니고, 황소, 호랑이, 개, 돼지, 고양이, 다 아니었어.

마침내 프레드의 처제 중 한 명이 소리쳤어.

"아, 정답을 알 것 같아요. 프레드, 스크루지 삼촌이죠?"

이 말에 사람들은 모두 웃음을 터트렸어. 그리고 스크루지를 위해 건배까지 했어. 방 구석에 숨어서 서 있던 스크루지는 마음이 복잡했어.

이제 또 다른 곳으로 옮길 시간이었어. 스크루지와 유령은 프레드의 집을 나섰지.

그런데 스크루지가 깜짝 놀랐어. 유령이 갑자기 확 늙어 보였거든. 그의 마음을 읽기라도 한 듯 유령이 말했어.

"여기에서의 내 삶은 얼마 남지 않았어. 오늘 자정, 크리스마스 날이 끝나면 나도 끝나는 걸세."

교회 종이 12시를 알렸어.

스크루지가 돌아보니 유령은 이미 사라지고 없더군. 그리고 마지막 종소리가 희미하게 멀어질 무렵, 스크루지는 망토를 뒤집어쓴 근엄한 유령이 옅은 안개처럼 스르륵 다가오는 걸 봤어.

세 유령 중
세 번째 유령

세 번째 유령은 천천히 그리고 조용히 다가왔어. 앞으로 쭉 뻗은 손 말고는 새카만 망토로 머리와 온몸을 다 가리고 있었지.

스크루지는 너무 무서워서 털썩 주저앉을 뻔했어. 스크루지가 떨리는 목소리로 말했어.

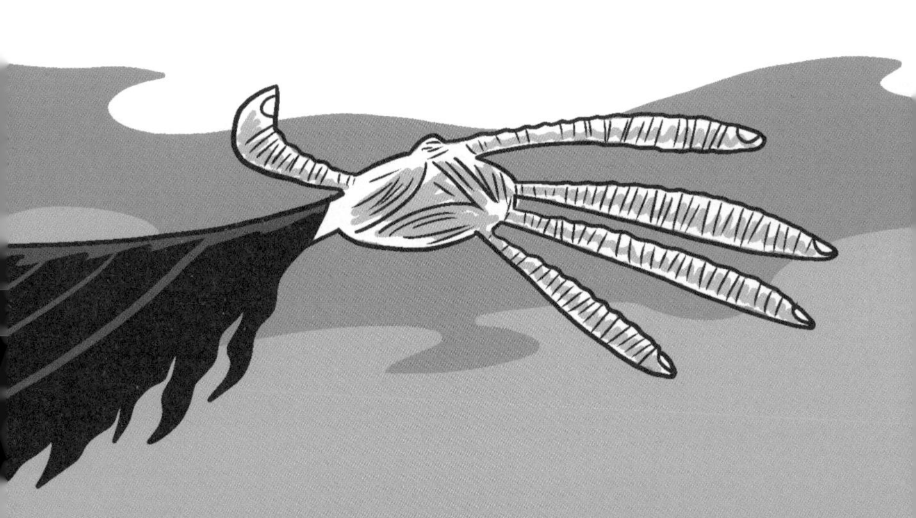

"당신은 미래의 크리스마스 유령이겠군요. 그리고 아직 일어나지 않은 미래의 장면들을 보여 주겠죠."

망토를 뒤집어쓴 머리가 끄덕이는 것 같았어. 그리고 바로 그 순간 스크루지에게도 망토 그림자가 드리웠어.

둘은 도시 중심부에 있는 증권 거래소 근처에 도착했어. 회사원들이 모여서 일하는 곳이었지.

유령은 이야기를 나누는 회사원들을 가리켰어.

"나도 잘은 몰라. 그 사람이 죽었다는 것밖에는."

주걱턱을 가진 남자가 말했어.

"언제 죽었대요?"

다른 남자가 물었어.

"어젯밤이라지, 아마."

"그 사람 돈은 다 어쨌대요?"

벌건 얼굴의 신사가 물었어.

"모르겠어요. 나한테 물려주지 않았다는 것밖에는. 하하, 아마 장례식은 엄청 간소할 것 같아요. 친구가 한 명도 없잖아요. 과연 거기에 누가 갈지 모르겠네요."

주걱턱 남자가 말했어.

남자들은 껄껄 웃으며 그렇게 사라졌어.

남자들이 누구 이야기를 한 걸까? 스크루지는 궁금했어. 누가 죽었다는 거지? 제이콥 말리는 이미 7년 전에 죽었으니 아니겠지? 이 유령은 아직 일어나지 않은 일을 보여 주는 거니까.

이번엔 유령이 그를 가난한 지역으로 데려갔어. 그중에서도 다 쓰러져 가는 고물상 안으로 말이야. 가게 안에 보이는 거라곤 낡은 유리병과 해진 담요, 녹슨 열쇠와 경첩이 다였지.

한 여자가 고물상으로 들어오더니 둘둘 말려 있는 어두운 색의 무언가를 내밀었어.

"이게 뭐요?"

계산대 뒤에서 파이프 담배를 문 남자가 걸걸한 목소리로 물었어.

"침대 커튼이에요. 걱정하지 마세요. 우리 것이 아니니까. 이 커튼 주인은 죽었어요. 아직 침대에 누워 있는데 그냥 뜯어 왔어요. 여기 그 사람 담요랑 셔츠도 있어요. 다 하면 얼마를 주실 수 있어요?"

여자가 물었어.

스크루지는 대답을 듣지 못했어. 유령이 스크루지를 데리고 침대 앞으로 왔거든. 커튼도 없이 휑한 침대로 말이야. 거기엔 누군가가 누더기 같은 이불을 덮고 똑바로 누워 있었어.

도대체 누구……지?

스크루지는 알 것 같았지만 믿고 싶지가 않았어.

그는 곁을 맴도는 유령을 돌아보며 물었어.

“이 남자의 죽음을 슬퍼하는 사람은 한 명도 없는 건가요?”

곧장 새로운 장면이 눈앞에 펼쳐졌어. 어린 아이를 데리고 있는 아내가 남편이 집에 돌아오기를 기다리고 있더군.

젊은 남자가 문을 벌컥 열었어. 아내가 물었지.

“좋은 소식인가요, 나쁜 소식인가요?”

스크루지는 그가 누군지 알아보았어. 그는 스크루지가 돈을 빌려준 사람 중 하나였지. 스크루지는 사람들에게 엄청나게 많은 돈을 빌려주었고, 조금의 예외도 없이 제때 갚도록 했어.

남편은 아무 말도 하지 않았어.

"그 사람이 자비를 베풀겠대요? 돈 갚을 시간을 미뤄 주겠대요?"

아내가 물었어.

"다 필요 없게 됐어요. 그 사람, 죽었거든요."

남편이 대답했어.

에비니저 스크루지는 아내의 얼굴에 옅은 미소가 번졌다가 사라지는 것을 봤어.

돈을 빌려준 사람이 죽어서 빚을 갚지 않아도 되는 건 사실이지만, 그 때문에 대놓고 기뻐하는 건 좀 부끄러웠나 봐.

스크루지는 이제 답을 알 것 같았어. 사람들은 이 남자가 죽어도 슬퍼하지 않는다는 사실을. 오히려 몇몇은 기뻐하기까지 한다는 것을.

또 한 번 장면이 바뀌었어. 제이콥 말리와 함께 일했던 사무실 앞이었지. 유령은 창문을 손으로 가리켰어. 스크루지는 얼른 안을 들여다보았어.

건물 안 풍경이 낯설었어. 가구가 싹 바뀌어 있었거든. 안에 앉아 있는 사람도 누군지 모르겠더군.

마지막으로 둘은 잡초가 우거진 묘지에 도착했어. 유령이 묘비를 가리켰지.

"일단 저기 가까이 가기 전에 하나만 대답해 줘요. 당신이 보여 주는 환영은 앞으로 일어날 일 그대로인 건가요? 아니면 일어날 수도 있는 일인 건가요?"

스크루지가 물었어.

하지만 유령은 대답하지 않고 무덤만 가리켰어. 스크루지는 바들바들 떨면서 앞으로 다가가 보았지.

유령이 가리킨 버려진 무덤의 묘비에는 이름이 쓰여 있었어. '에비니저 스크루지.'

스크루지는 유령의 손을 잡으려고 발버둥 쳤어. 그리고 이렇게 애원했어.

"난 예전의 내가 아니에요. 한 번만 기회를 주세요. 더 나은 사람이 될게요. 매년 크리스마스를 마음속으로 기리고, 사람들에게 친절하게 굴 거예요. 유령님이 보여 주신 미래를 피할 수만 있다면 뭐든 할게요."

유령의 시커먼 망토가 스르륵 쪼그라들더니 침대 기둥으로 사라졌어.

스크루지네 집 침대 기둥으로.

스크루지는 다시 집으로 돌아온 거야.

이야기의 끝

맞아, 침대 기둥은 그의 것이었고, 그 침대도 그의 것, 방도 그의 것이었어.

무엇보다도, 그는 살아 있었어.

스크루지는 또 한 번의 기회를 얻게 된 거야!

이제 그는 더 나은 사람이 될 거야.

그는 창가로 달려가 창문을 벌컥 열고 밖을 내다보았어. 안개도 끼지 않은 화창하고 밝고 쨍한 아침이었지.

"오늘이 몇 월 며칠인가?"

스크루지가 창밖의 소년에게 물었어.

"오늘이요? 크리스마스 날이잖아요!"

소년이 대답했어.

스크루지는 혼잣말했어.

"크리스마스로군! 다행히 크리스마스를 놓치지 않았어. 유령들이 하룻밤에 나타난 거야. 역시 그들은 원하는 건 무엇이든 할 수 있군."

스크루지는 아래를 향해 큰 소리로 인사했어.

"좋은 아침이야."

"좋은 아침이에요!"

소년도 대꾸했어.

스크루지는 소년에게 근처에 있는 정육점에 가서 가장 큰 칠면조를 사다 달라고 부탁했어. 그리고 밥 크래칫의 주소를 적어 주며, 그 집으로 칠면조를 배달해 달라고 했지. 스크루지는 당연히 소년에게 칠면조를 살 돈과 함께 넉넉하게 심부름값을 챙겨 주었어. 그러자 스크루지의 기분도 좋아졌지.

스크루지는 거리로 나가 만나는 사람마다 인사를 했어.

"좋은 아침이에요! 행복한 크리스마스예요!"

그는 자신이 이렇게 행복한 사람이 된 게 너무나 놀라웠단다.

스크루지는 심지어 용기를 내 조카인 프레드의 집에도 가 보기로 했어. 같이 저녁 식사를 하기로 마음먹은 거지. 프레드와 그의 가족들은 스크루지를 보고 너무나 반가워했어. 스크루지도 그들의 그런 모습에 기뻤지.

그들은 다 함께 웃고 떠들고 노래했어. 스크루지가 두 번째 유령과 함께 목격했던 바로 그 장면과 비슷했지. 다만 그때는 다른 사람 눈에 보이지 않는 채로 구석에서 후회하고 있었다면, 지금은 그렇지 않다는 게 달랐어.

크리스마스 다음 날, 스크루지는 매우 일찍 사무실에 도착했어. 밥 크래칫은 아직 출근을 안 했더군.

마침내 밥이 도착했을 때, 자기 방 의자에 앉아 있던 스크루지는 으르렁거리듯 말했어.

"지금이 몇 시인 줄 아나? 지각했잖아!"

"죄송합니다, 사장님. 하지만 조금밖에 안 늦었는데요."

"어쨌든 조금이라도 늦었잖아! 이대로는 안 되겠어."

스크루지가 고함을 치자 밥은 벌벌 떨기 시작했어. 스크루지는 의자에서 벌떡 일어났지.

"그래, 원래 모든 상황은 달라지기 마련이야."

스크루지는 밥의 갈비뼈를 쿡쿡 찔렀고 밥은 비틀거리며 뒤로 물러났어.

"자네 월급을 올려 주겠어!"

밥은 너무 놀라 아무런 대꾸도 하지 못했어.

"메리 크리스마스, 밥!"

스크루지는 이렇게 외치며 그의 등을 툭툭 쳤어.

"그 어느 때보다 더 즐거운 크리스마스를 만들어 주겠네! 자네 월급을 올려 주면 가난으로 고생하는 가족들에게 도움이 되겠지? 그런데 우선 불부터 지펴 주겠나? 사무실을 따뜻하게 만들자고!"

스크루지는 약속한 대로 변했어. 아니, 약속한 것보다 더 좋은 사람이 되었어. 자신이 할 수 있는 건 모두 다 했지. 그는 타이니 팀의 두 번째 아빠가 되어 주었고, 크래칫 가족 모두의 친구가 되었어.

다시 말해 그는 상상 이상으로 좋은 친구, 좋은 사장, 좋은 사람이 되었단다.

이제 더 이상 크리스마스의 유령들이 그를 찾아오지 않았어. 그리고 널리 널리 소문도 났어. 에비니저 스크루지는 넘치는 사랑과 웃음, 너그러움으로 크리스마스를 제대로 축하할 줄 아는 사람이라고 말이야.

이제 우리 모두 이렇게 외칠 수 있어!

타이니 팀이 했던 말 그대로.

"우리 모두에게 축복이 있기를!"

찰스 디킨스

1812년 영국 포츠머스에서 태어났어요. 찰스 디킨스는 소설 속 등장인물들처럼 가난했고 힘든 어린 시절을 보냈어요. 하지만 어른이 된 그는 자신이 쓴 책으로 전 세계에 알려졌고, 그 시대 가장 중요한 작가 중 한 명으로 기억되고 있답니다.

피피 스포지토 그림

부에노스아이레스에서 태어났으며 늘 그림을 그려 왔어요. 어린 시절엔 공작용 점토로 인물 만들기도 즐겼고, 좀 더 커서는 유머 잡지를 디자인하기 시작했지요. 수많은 실험적 작가들의 원화에 둘러싸여 지내며, 호기심을 갖고 다양한 스타일의 그림을 그렸답니다. 그린 책으로 《크리스마스 캐럴》, 《두 도시 이야기》, 《위대한 유산》, 《올리버 트위스트》 등이 있습니다.

윤영 옮김

서울대학교 미학과를 졸업하고 같은 대학원에서 고고미술사학과를 수료했습니다. 현재는 번역 에이전시 엔터스코리아에서 번역가로 활동 중입니다. 옮긴 책으로는 〈암호 클럽〉 시리즈, 〈복면공주〉 시리즈 등이 있습니다.

크리스마스 캐럴

초판 1쇄 발행 2023년 6월 27일

글 찰스 디킨스 | 그림 피피 스포지토 | 옮김 윤영

ISBN 979-11-6581-419-9 (74840)
ISBN 979-11-6581-418-2 (세트)

* 잘못 만들어진 책은 구입하신 곳에서 바꾸어 드립니다.

발행처 주식회사 스푼북 | **발행인** 박상희 | **총괄** 김남원

편집 김선영 · 박선정 · 김선혜 · 권새미 | **디자인** 조혜진 · 김광휘 | **마케팅** 손준연 · 이성호 · 구혜지

출판신고 2016년 11월 15일 제2017-000267호

주소 (03993) 서울시 마포구 월드컵북로 6길 88-7 ky21빌딩 2층

전화 02-6357-0050(편집) 02-6357-0051(마케팅)

팩스 02-6357-0052 | **전자우편** book@spoonbook.co.kr

제품명 크리스마스 캐럴
제조자명 주식회사 스푼북 | **제조국명** 대한민국 | **전화번호** 02-6357-0050
주소 (03993) 서울시 마포구 월드컵북로6길 88-7 ky21빌딩 2층
제조년월 2023년 6월 27일 | **사용연령** 8세 이상
※ KC마크는 이 제품이 공통안전기준에 적합하였음을 의미합니다.

⚠ 주 의

아이들이 모서리에 다치지 않게 주의하세요.